Silence, je crée...

Mes petits buffets
pour toutes les occasions

Pour maman

©2007, Tana éditions
ISBN : 978-2-84567-387-8
Dépôt légal : juin 2007
Achevé d'imprimer : mai 2007
Imprimé en Espagne
Tana éditions
16-24, rue Cabanis - 12, villa de Lourcine
75014 Paris
www.tana.fr

Silence, je crée...

Mes petits buffets
pour toutes les occasions

Textes
Stéphanie de Turckheim

Photos
Isabelle Schaff

Tana
éditions

5

Avant-propos

Préparer et organiser une fête pour sa famille ou ses amis,
c'est toujours un grand stress. Penser à tout pour la cuisine,
la table, la déco, le nombre d'invités paraît insurmontable,
et l'on se dit parfois que l'on aurait mieux fait de se taire
ou de rester sous sa couette.

Eh bien non !

Après avoir lu ce livre, vous allez prendre votre téléphone et remplir
tous vos week-ends de buffets. Vous avez le choix, campagne
ou ville, vous pourrez les réadapter à votre goût. N'hésitez plus
à sortir de votre armoire l'argenterie de votre arrière-grand-mère,
mélangez votre service de porcelaine à celui trouvé lors du vide-
greniers de la kermesse de votre fils...
Cuisinez des choses simples et utilisez des produits de bonne
qualité. Organisez-vous et surtout faites avec ce que vous avez
sous la main. Soyez créative, voire farfelue, et les conventions
et les codes, vous verrez cela un peu plus tard...

buffet blanc

ingrédients

1 radis noir

1 chou-rave

champignons

radis blancs

endives

le jus de 1 citron

50 cl de crème fleurette

1 c. à s. de raifort

sel et poivre

matériel

1 épluche-légumes

1 couteau

1 bol

1 batteur

Légumes crus blancs et leur chantilly de raifort

Et vous qui ne saviez pas quoi faire pour vos fiançailles !
Voici un buffet blanc à la hauteur de vos ambitions : le blanc,
c'est chic ; maintenant vous pourrez dire : le blanc, c'est bon...
Et, pour commencer, quelques légumes crus à croquer.
Mais prenez garde à ne pas perdre votre petit champignon
dans la chantilly.

1 Lavez puis épluchez les légumes.
2 Coupez le radis noir en rondelles, le chou-rave en bâtonnets, les champignons en tranches et laissez les radis et les endives entiers.
3 Arrosez de jus de citron pour éviter que les légumes ne s'oxydent.
4 Mettez la crème fleurette bien froide dans le bol que vous aurez laissé pendant quelques minutes au congélateur et ajoutez le raifort. Faites monter la chantilly au batteur électrique. Goûtez et rectifiez l'assaisonnement.

Je retrouve dans mon buffet

Un grand drap blanc de lin ou de coton, si vous n'avez pas une sublime nappe brodée.
Avec les plis, c'est encore plus chic !
Beaucoup de vases pour jouer sur les hauteurs et les transparences, réservez le plus beau pour présenter la chantilly.
Une louche en argent ou une grande cuillère pour la servir, quelle classe !
Pour mon dessus de table, un miroir et une jardinière : effet grandiose garanti.
Garnissez-la de fleurs blanches, roses, pivoines ou fleurs des champs...

Risotto parfumé aux zestes de citron et mascarpone

Ce n'est que du riz, mais tout est dans la manière…
Moelleux et très parfumé, ce risotto est un délice.
Servez-le dans des tasses et glissez une fleur blanche dans l'anse,
c'est d'un chic !

ingrédients

1 gousse d'ail

50 g de beurre

1 citron non traité

225 g de riz à grains ronds

250 g de mascarpone

100 g de parmesan râpé

sel et poivre

matériel

1 couteau

1 casserole

1 épluche-légumes
ou un zesteur

1 presse-agrumes

1 cuillère en bois

1   Faites revenir l'ail haché très fin dans la casserole avec le beurre.
    Ajoutez les zestes du citron, le jus du citron et le riz.
    Mélangez bien jusqu'à ce que les grains soient translucides puis couvrez d'eau.
    Faites cuire à feu doux pendant 20 min.
    Ajoutez de l'eau au fur et à mesure que le riz l'absorbe.

2   Quelques minutes avant la fin de cuisson, ajoutez le mascarpone.
    Remuez et goûtez pour rectifier l'assaisonnement.
    Servez et décorez avec un peu de parmesan et des zestes de citron.

Je retrouve dans mon buffet

De petites tasses à café, à thé ou à entremets pour y servir le risotto, tellement plus décalé qu'une banale assiette en porcelaine !

C'est moi le chef

Ajoutez dans le risotto 1 bouillon cube de poule.
Préparez la veille des glaçons aux pétales et boutons de rose,
que vous servirez avec le champagne. Ravissant et délicatement parfumé…

Terrine blanche de crustacés

Le poisson et les crustacés font partie des tables de fête.
C'est fin et délicat.
En terrine, froid avec ou sans mayonnaise,
c'est tellement plus pratique à découper.
Si vous voyez ce que je veux dire...

1 Cassez les œufs dans le saladier et battez au batteur électrique.
   Ajoutez la crème tout en incorporant du sel puis du poivre.
   Préchauffez le four à 180 °C.
2 Ajoutez les crevettes, la chair de crabe et les langoustines.
   Mélangez et versez le tout dans le moule à cake.
3 Faites cuire pendant 1 bonne heure.
   Ajoutez la feuille d'aluminium au bout de 30 min.
4 Laissez refroidir dans le moule puis démoulez sur un plat.
   Décorez la terrine avec les médaillons de langoustine.

C'est moi le chef

Je plante un spaghetti dans la terrine pour vérifier la cuisson.
Pour une terrine toute blanche, je la cuisine exclusivement avec du poisson.

14

Charlotte au kirsch et dragées

Voici un entremet tout blanc qui se prépare la veille,
un avantage pour nous, les cuisinières !
Le jour J, soignez votre déco et, surtout, faites-vous belle.

ingrédients

1 paquet de biscuits
à la cuillère moelleux

1 verre de kirsch + 3 c. à s.

200 g de beurre fin mou

200 g de sucre en poudre

200 g de poudre
d'amandes

200 g de crème double

sucre glace

matériel

1 moule à charlotte

1 feuille de papier
sulfurisé

1 batteur

2 saladiers

1 cuillère en bois

1. Garnissez le fond du moule à charlotte de papier sulfurisé. Trempez les biscuits à la cuillère dans un mélange de 2 c. à s. d'eau et de kirsch. Tapissez le moule de biscuits.

2. Faites ensuite la crème. Battez le beurre mou avec le sucre dans un saladier. Quand le mélange est bien blanc, ajoutez la poudre d'amandes petit à petit sans cesser de battre. Montez au fouet la crème double dans l'autre saladier en y ajoutant 1 c. à s. d'eau très froide. Ajoutez la crème au beurre et le kirsch. Recouvrez les biscuits de cette crème et laissez au frais pendant 24 h au minimum.

3. Démoulez et décorez avec des dragées.

Je retrouve dans mon buffet

Un drageoir ou une coupe sur pied pour présenter des dragées, des chocolats blancs
ou des amandes : pour les gourmands qui adorent croquer.
Des verres et des pots à confiture pour présenter le reste de crème au kirsch,
et quelques boudoirs pour faire trempette encore et encore.
Un plateau en argent pour poser un plat en verre et le dessert.
La superposition de plats fait toujours beaucoup d'effet.

C'est moi le chef

Je mixe la poudre d'amandes pour qu'elle soit vraiment très fine au palais.
Je colle mes dragées avec un peu de crème au beurre.

17

ingrédients

**2 bacs de glace
à la noix de coco**

**2 paquets
de petites meringues**

matériel

1 cuillère à boule de glace

1 plat rond

Pièce montée maison

Pas de fête réussie sans pièce montée !
En voici une cent pour cent maison, alliant le croquant
des meringues et le fondant des boules de glace.
Jouez d'adresse pour la monter le plus haut possible,
le résultat sera vertigineux.

1   Formez des boules bien rondes et disposez-les sur un plat en alternant
boules de glace et meringues.
2   Montez en pyramide.

Je retrouve dans mon buffet

Un magnifique plat que l'on m'a offert pour mon mariage.

C'est moi le chef

Je prépare mes boules de glace la veille et je les dépose sur un grand plateau
garni de papier d'aluminium. Je les laisse au congélateur jusqu'au dernier moment.
Elles seront dures et plus facile à coller.
J'évite les sorbets, ils fondent trop vite.
Je peux ajouter des dragées et des billes argentées.

buffet bio

1 laitue

150 g de feuilles
de betterave

150 g de fanes de radis

1 bouquet de persil

2 c. à s. de graines de lin

2 c. à s. de graines de courge

3 fleurs de courgette

4 physalis

vinaigrette

4 c. à s. d'huile d'olive

2 c. à s. de vinaigre de miel

1 c. à s. de moutarde en grains

1 c. à s. de germes de blé

sel et poivre

matériel

1 couteau

1 essoreuse

1 saladier en bois

couverts à salade

Grande salade de feuilles

Votre week-end à la campagne est annulé,
organisez-vous ce buffet bio. Vous ne regarderez
plus jamais les fanes de radis de la même manière.

1 Épluchez et lavez la salade, les feuilles de betterave et de radis.
2 Faites une vinaigrette dans le saladier en ajoutant les ingrédients dans l'ordre. Mélangez bien.
3 Lavez, séchez puis ciselez le persil. Ajoutez-le à la vinaigrette ainsi que les graines de lin et de courge.
4 Ajoutez les feuilles de salade et de betterave, les fanes de radis et décorez avec les fleurs de courgette et les physalis.

C'est moi le chef

J'ajoute des graines, des germes de blé et de la levure pour une belle peau
et plein de vitamines pour l'organisme. Joignez l'utile à l'agréable !
Si je n'ai pas de vinaigre de miel, j'utilise du vinaigre balsamique.

Je retrouve dans mon buffet

Des plateaux en osier, des barquettes en bois, un saladier et des couverts en olivier.
Des petites serviettes en lin ou en coton recyclé.

Kouglopf salé

Les pains complets, aux céréales, multigrains, d'épeautre,
au lin ou au quinoa n'ont plus de secrets pour vous.
Mais un Kouglopf salé pétri aux farines biologiques,
vous connaissez ?

1   Faites chauffer 4 c. à s. de lait. Ajoutez la levure et attendez qu'elle
    gonfle. Ajoutez ensuite 50 g de farine afin d'obtenir un levain. Laissez
    reposer dans un endroit tiède.
2   Détaillez le lard en petits morceaux et faites-les blanchir pendant
    quelques minutes dans la poêle.
3   Mettez les farines dans la grande terrine et faites un puits dans
    lequel vous ajouterez le beurre amolli, les œufs et le reste du lait.
    Travaillez avec les mains jusqu'à l'obtention d'une pâte lisse.
4   Ajoutez le levain et travaillez la pâte pendant 15 min environ en l'aérant
    bien. Ajoutez lardons et noix. Couvrez la terrine d'un linge propre et
    attendez 1 bonne heure que la pâte lève.
5   Rompez plusieurs fois la pâte. Beurrez le moule et ajoutez les
    amandes dans les cannelures. Déposez la pâte et attendez à nouveau
    qu'elle lève jusqu'aux bords du moule.
6   Préchauffez le four à 180 °C et faites cuire pendant 1 bonne heure.
    Démoulez et faites refroidir sur une grille.

ingrédients

1 verre de lait

25 g de levure
de boulanger

250 g de farine

400 g de lard fumé

250 g de farine complète

150 g de beurre amolli

150 g de cerneaux de noix

80 g d'amandes entières

sel

matériel

1 petite casserole

1 verre

1 couteau

1 poêle

1 grande terrine

1 moule à kouglopf

Je vais chercher dans la nature

Des baies, des petites fleurs et des fruits pour garnir le centre du kouglopf.
Une grande feuille ou 1 feuille de rhubarbe.

Ces tomates dodues et gorgées de soleil viennent d'un potager.
Et cette recette au fromage blanc est de tradition paysanne.
Du simple, du goût, c'est tout !

ingrédients

2 ou 3 tomates bien mûres

250 g de fromage blanc

le jus de 1 citron

1 botte de persil

1 botte de ciboulette

2 gousses d'ail

1 échalote

sel et poivre

matériel

1 couteau à dents

1 cuillère à soupe

1 bol

1 couteau

1   Découpez le haut de chaque tomate et videz-en la moitié à l'aide de la cuillère à soupe.

2   Mettez le fromage blanc dans le bol. Ajoutez le jus de citron, du sel et un peu de poivre.

3   Ciselez le persil et la ciboulette puis coupez l'ail et l'échalote en petits morceaux. Ajoutez le tout au fromage blanc.

4   Mélangez et garnissez les tomates. Décorez avec un peu d'herbes.

Je vais chercher dans la nature

*Des feuilles de différentes formes et des épines de sapin pour réaliser des sets,
des assiettes et des ronds de serviette
Des grosses écorces d'arbres, de larges feuilles qui serviront de plateaux ou d'assiettes.*

C'est moi le chef

Je choisis un fromage blanc fermier bien crémeux ou à la louche.

Ebly à la cannelle, aux figues et à l'eau de fleur d'oranger

Cette salade sucrée aux grains de blé, aux figues fraîches et aux amandes est une vraie gourmandise.
On la goûte et la regoûte…

ingrédients

50 g de raisins secs

3 c. à s. d'eau de fleur d'oranger

250 g de grains de blé de type Ebly

2 c. à s. de miel

4 figues fraîches

50 g d'amandes effilées

1 c. à s. de cannelle en poudre

matériel

1 bol

1 casserole

1 saladier

1 cuillère en bois

1 couteau

1 Mettez les raisins secs avec l'eau de fleur d'oranger dans le bol. Chauffez de l'eau et verser-la bouillante sur les raisins. Laissez gonfler.

2 Faites cuire le blé selon les indications du paquet. Égouttez-le puis mettez-le dans le saladier. Ajoutez le miel, mélangez et attendez qu'il refroidisse.

3 Coupez les figues en morceaux et faites griller à sec les amandes dans une poêle.

4 Ajoutez tous les ingrédients dans le saladier sans oublier les amandes effilées puis mélangez bien. Ajoutez la cannelle puis goûtez, ajoutez un peu de miel ou d'eau de fleur d'oranger si besoin.

Je vais chercher dans la nature

Je récupère les barquettes de fruits ou de légumes en bois léger. Je les tapisse d'une grande feuille pour m'en faire un petit bol. Vous avez vu, pas mal, le coup de la tige !

C'est moi le chef

C'est un comble : le miel évite que le blé ne colle.

ingrédients

2 potimarrons

25 cl de crème fraîche

1 sachet de sucre vanillé

1 c. à s. de sucre roux

1 c. à s. de curcuma

1 c. à s. de poudre de cardamome

matériel

1 couteau

1 casserole

1 fourchette ou 1 mixeur

1 cuillère en bois

1 cuillère à soupe

Velouté sucré de potimarron au curcuma, à la cardamome et au sucre roux

Un légume qui se mange et qui sert de récipient, du cent pour cent recyclable pour ce dessert raffiné et velouté.

1   Découpez le haut des potimarrons à l'aide du couteau. Creusez et retirez toute la chair que vous mettrez dans la casserole. Jetez les pépins.

2   Faites cuire la chair des potimarrons avec un peu d'eau pendant une dizaine de minutes. Écrasez la chair à l'aide d'une fourchette, ajoutez les sucres, la crème et les épices.

3   Chauffez en mélangeant bien sans faire bouillir. Versez dans les potimarrons.

Je vais chercher dans la nature

Une énorme fleur de tournesol pour décorer.

C'est moi le chef

J'utilise un mixeur pour obtenir une consistance plus lisse.
J'ajoute un peu de noix muscade et de cannelle.

déjeuner
sur l'herbe

1 brique de coulis de tomates

1 sachet d'agar-agar

1 c. à s. de basilic

1 c. à c. de piment en poudre

poivre

1 petit pot de tapenade

1 petit pot de caviar d'aubergine

1 petit pot d'anchoïade

matériel

1 casserole

1 cuillère en bois

4 moules à tartelette

Tartelettes de coulis de tomates

Ras le bol des assiettes en carton qui se plient, des verres en plastique qui se fendent dès la première gorgée et du papier d'aluminium des sandwiches qui reste entre les dents ! À nous les déjeuners sur l'herbe d'autrefois… Ces petites tartelettes à customiser selon vos envies raviront vos papilles expertes.

1 Faites chauffer doucement le coulis de tomates et ajoutez l'agar-agar en suivant les indications inscrites sur le sachet.

2 Ajoutez le basilic, le piment et remuez bien.

3 Versez dans les moules à tartelette et attendez que cela refroidisse et se gélifie.

4 Dégustez avec des cuillerées de tapenade, de caviar d'aubergines ou d'anchoïade.

Je retrouve dans mon buffet

La vieille malle à pique-nique du cousin Nicolas, une valise en osier ou la cantine du Service national de votre frère.

C'est moi le chef

Je décolle doucement les tartelettes en pressant du bout des doigts les bords de la tarte pour qu'une bulle d'air se crée.

Muffins au thym

En plus d'être très pratiques à transporter pour un pique-nique,
ces muffins, mi-cake salé, mi-pain, sont délicieux.
Pour qu'ils soient encore plus appétissants, présentez-les
dans des moules en papier de couleur.
De la déco même en pique-nique, et alors ?

1 Coupez les olives noires en morceaux. Lavez, séchez le thym et ciselez-le.
2 Mettez la farine dans un bol, ajoutez le sel, les olives, le thym et le parmesan.
   Mélangez bien.
3 Préchauffez le four à 180 °C.
4 Battez l'œuf avec le lait dans un autre bol et ajoutez-le au mélange
   précédent. Mélangez bien.
5 Faites fondre ensuite très doucement le beurre dans la casserole puis
   ajoutez-le au mélange en remuant bien.
6 Garnissez la plaque à muffins de moules en papier et remplissez-les
   au 3/4 de pâte. Faites cuire pendant 20 minutes.

ingrédients

90 g d'olives noires dénoyautées

1 c. à s. de thym frais

190 g de farine avec levure

20 g de parmesan

1 œuf

12,5 cl de lait

60 g de beurre amolli

1 pincée de sel

matériel

1 couteau

2 bols

1 cuillère en bois

1 casserole

1 plaque à muffins

1 moule en papier

C'est moi le chef

*J'achète une couronne de pain et je la garnis de crudités, petites tomates et radis.
Trop mignon, et que ceux qui n'aiment pas les muffins se régalent aussi.*

Sandwiches
de jambons roulés

Sorte de wraps au jambon. Eh oui, même pour un déjeuner sur l'herbe, on peut être « dans le vent » !

1 Enlevez le gras qui entoure le jambon. Ciselez la coriandre, lavez les fanes de radis et la roquette.

2 Mettez le chèvre dans le bol et versez l'huile d'olive. Mélangez, salez légèrement mais poivrez bien.

3 Déposez 1 tranche de jambon sur une assiette. Ajoutez 1 c. à s. du mélange et un peu de roquette, de fanes de radis et de coriandre. Roulez en serrant bien le jambon puis recommencez l'opération.

Je retrouve dans mon buffet

Des assiettes en porcelaine et des couverts en argent. Si je n'en ai pas, dans tous les cas, j'utilise de vraies assiettes et de vrais couverts.
De vraies serviettes en tissu et un set de table pour recouvrir la malle à pique-nique, parce que vous pensez à tout !

C'est moi le chef

Je n'ai pas trouvé de chèvre frais, j'utilise de la brousse ou de la ricotta.
Je remplace la coriandre par de la ciboulette.
Je ficelle le jambon blanc avec un brin de ciboulette.

42

Tarte au chocolat
avec pâte de spéculoos

Goûter cette tarte au chocolat noir, c'est pécher.
Le soir, dans votre lit, vous en rêverez :
« Chéri, demain, si on allait pique-niquer ? »

ingrédients

1 paquet de spéculoos

130 g de beurre

100 g de chocolat

1 jaune d'œuf

2 c. à s. de crème

matériel

1 mixeur

1 moule à tarte

1 casserole

1 cuillère en bois

1 fourchette

1 Préchauffez le four à 160 °C. Mettez les spéculoos dans le mixeur et réduisez les gâteaux en poudre fine. Ajoutez 130g de beurre mou petit à petit jusqu'à ce qu'une boule se forme. Garnissez le fond et les bords du moule à tarte de pâte en pressant avec les doigts. Faites cuire pendant 20 min.

2 Cassez le chocolat dans la casserole, ajoutez le beurre restant et faites fondre doucement. Hors du feu, ajoutez le jaune d'œuf puis la crème. Mélangez bien.

3 Remplissez le fond de tarte de crème au chocolat et laissez refroidir.

C'est moi le chef

*J'utilise un chocolat noir ou à forte teneur en cacao, car la pâte est assez sucrée.
Je varie le fond de tarte en utilisant des pains d'épice ou des petits gâteaux au café, à tomber.*

45

Dessert de fruits noirs et blancs

ingrédients

4 pêches blanches

500 g de mûres

5 feuilles de sauge

50 cl de vin doux

matériel

1 couteau

verres

Apportez les fruits frais en vrac et le vin. Faites votre petite salade sur place. Vous pouvez aussi y ajouter le fruit de vos cueillettes. Chacun, dans son verre, composera : du sur-mesure selon son humeur. Alors, tentez...

1 Pelez et coupez les pêches en morceaux. Répartissez-les dans les verres.
2 Ajoutez les mûres, les feuilles de sauge et le vin.

Je retrouve dans mon buffet

Un ensemble à orangeade.

C'est moi le chef

Le vin doux est un vin jaune, de pêche, d'orange, du jurançon... C'est délicieusement sucré et liquoreux, et cela se boit comme du petit-lait. Une petite sieste sous les arbres s'imposera ensuite...
Si vous n'aimez pas l'alcool, ajoutez un peu de citron pressé ou du jus de fruits.

thé dînatoire
à l'anglaise

Scones

Rien que le nom évoque l'Angleterre, un salon douillet tapissé de fleurs, un chesterfield et un bon thé chaud. N'était-ce pas miss Marple qui ne pouvait se passer de scones avec son thé ?

ingrédients

250 g de farine avec levure

50 g de beurre amolli

2 c. à s. de sucre roux

80 g de raisins secs

1 verre de lait

matériel

1 saladier

1 rouleau à pâtisserie

1 verre

1 feuille de papier sulfurisé

1 pinceau

1 grille

1. Mettez la farine dans le saladier et ajoutez le beurre amolli petit à petit. Mélangez du bout des doigts.
2. Ajoutez le sucre puis les raisins. Versez le lait en mélangeant. La pâte doit être homogène.
3. Préchauffez le four à 200 °C. Étalez la pâte sur un plan fariné en gardant une épaisseur de 2,5 cm. Découpez des disques à l'aide du verre.
4. Déposez les scones sur le papier sulfurisé et badigeonnez de lait. Faites cuire pendant 10 min environ. Laissez refroidir sur la grille.

Je retrouve dans mon buffet

Des chandeliers ou des bougeoirs que je décore de lierre et de fleurs dans lesquels je plante de grandes bougies blanches.

C'est moi le chef

Je fais des scones aux raisins, mais aussi à l'orange confite et aux canneberges.
Je sers avec des petites sauces sucrées, de la marmelade et de la confiture. Je prépare une petite sauce salée à base de cottage cheese et de moutarde à la menthe pour les fans du sucré-salé.

Triangles au saumon et au jambon

Accompagnés d'un thé fumé bien chaud, ces sandwiches sont irrésistibles. Pensez à offrir un thé léger et un thé plus corsé ou fumé. N'oubliez surtout pas « le nuage de lait », le citron et le sucre. C'est toujours très agréable d'avoir le choix.

Au saumon

1. Enlevez la croûte du pain. Coupez le citron en deux et pressez le jus d'une moitié. Ciselez la menthe.
2. Écrasez le carré frais Gervais dans le bol avec la fourchette et ajoutez le jus de citron puis la menthe ciselée. Mélangez bien.
3. Étalez le mélange sur 1 tranche de pain de mie, garnissez de saumon et ajoutez 1 rondelle de citron. Recouvrez avec 1 autre tranche et coupez en triangle.

Au jambon

1. Enlevez la croûte du pain. Beurrez 1 tranche de pain de mie.
2. Coupez le jambon en petites tranches et les cornichons en rondelles.
3. Posez sur le pain de mie 1 tranche de jambon, quelques rondelles de cornichon et 1 branche de persil plat. Ajoutez 1 autre tranche de pain de mie puis coupez en triangle.

ingrédients

1 pain de mie frais

1 citron non traité

1 botte de menthe

1 carré frais Gervais

4 tranches de saumon fumé

25 g de beurre

4 tranches de jambon à l'os

1 verre de cornichons

1 botte de persil plat

matériel

1 couteau à pain

1 planche

1 couteau

1 presse-agrumes

1 bol

1 fourchette

Je retrouve dans mon buffet

Mes « après 8 heures », que je cache et garde précieusement pour mes copines…
Pour les grandes occasions, j'y ajoute une écorce d'orange : un summum de gourmandise.

C'est moi le chef

Je m'amuse avec les herbes et parfume le saumon à la menthe, à l'aneth ou au persil.
Idem pour le jambon, la ciboulette, le basilic ou la marjolaine se marient très bien.

ingrédients

1 botte de radis

2 grappes de raisin blanc

50 g de parmesan

500 g de roquefort
ou de stilton

4 c. à s. d'huile d'olive

2 c. à s. de vinaigre
balsamique

250 g de roquette

1 pot de gelée de thym

1 paquet de crackers

fleur de sel

poivre

matériel

1 couteau

1 petit bol

1 cuillère

1 essoreuse à salade

Verrines de fromages et chutney

Alliance parfaite du sucré-salé, quand vous croquerez sur le petit raisin, prenez garde de ne pas défaillir...

1   Préparez tous les ingrédients. Lavez les radis, gardez les fanes qui sont belles et coupez les radis en rondelles. Égrappez le raisin. Préparez le fromage, coupez le parmesan en fines tranches et détaillez le roquefort en morceaux.

2   Faites une vinaigrette dans le petit bol en mélangeant l'huile d'olive avec le vinaigre balsamique. Salez puis poivrez.

3   Déposez un peu de roquette, 1 fane de radis, 2 grains de raisin, 4 rondelles de radis, 1 tranche de parmesan, 1 morceau de roquefort et 1 c. à c. de gelée de thym dans des coupelles.

4   Avant de servir, ajoutez 1 c. à c. de vinaigrette et plantez 1 cracker.

Je retrouve dans mon buffet

Des verrines, des verres à pied, des coupelles et le petit ensemble de verres trouvé à la brocante cet été.
Des petites fourchettes et des cuillères en argent ou en vermeil.

C'est moi le chef

Je n'oublie surtout pas le porto.
Les chutneys ou les gelées d'épices se trouvent au rayon « gourmet » ou exotique des grandes surfaces, parfois chez le fromager et dans toute bonne épicerie fine.
Les crackers se trouvent souvent mis dans le rayon biscottes ou le rayon apéritif des grandes surfaces.

Pudding aux épices

Le pudding fait partie de ces anciens desserts que l'on ne fait jamais, car on les trouve ringards ou pas assez chic.
Pourtant, c'est tellement bon et si facile à faire.
Laissez-vous séduire à nouveau...

1. Coupez le pain en tranches et enlevez la croûte pour que ce soit plus moelleux.
2. Beurrez les tranches et déposez la moitié d'entre elles dans le plat à four. Ajoutez les fruits confits coupés en morceaux puis saupoudrez des épices.
3. Recouvrez avec le reste des tranches de pain beurré.
4. Ouvrez et videz la brique de crème anglaise sur le pain. Laissez imbiber pendant 30 min environ. Préchauffez le four à 180 °C et faites cuire pendant 40 min.

ingrédients

200 g de pain

50 g de beurre

25 g de raisins

25 g d'écorces de fruits

1 c. à s. de poudre de cannelle

1 c. à c. de graines de vanille

2 étoiles d'anis

1 brique de crème anglaise

1 c. à s. de sucre glace

matériel

1 couteau à pain

1 planche

1 plat à four

1 cuillère

C'est moi le chef

Je fais la crème anglaise moi-même ! Mais si, c'est possible !
C'est délicieux aussi avec des restes de brioche et des fruits frais.
Parsemez de sucre glace et de bâtons de cannelle avant de servir.

Crème au gingembre

Veloutée et très parfumée, cette petite crème
est un péché mignon diaboliquement épicé.
J'ai ouï dire que la reine ne peut plus s'en passer.

1   Séparez les jaunes des blancs, ne gardez que les jaunes. Râpez le gingembre frais.
2   Faites chauffer la crème dans la casserole avec les sucres et le gingembre râpé.
3   Ajoutez les jaunes un à un sans cesser de tourner. Faites très attention, l'œuf ne doit pas cuire, mais épaissir la crème.
4   Coupez le gingembre confit en petits morceaux. Ajoutez les morceaux à la crème quand elle sera refroidie. Versez dans des coupelles.

Je retrouve dans mon buffet

Un service à crème au chocolat.

C'est moi le chef

Je ne cesse jamais de tourner la crème !

Buffet
des enfants

Brochettes de crudités et lait fermenté à la ciboulette

Ressortez votre dînette de petite fille et retrouvez une âme d'enfant.
Ni couteaux, ni fourchettes, ni cuillères pour ce minibuffet,
composé de brochettes et de petites bouchées.
À servir dans une cabane, bien sûr…

ingrédients

1 botte de ciboulette

1 litre de lait fermenté

1 barquette
de petites tomates

1 concombre

1 poivron rouge

1 poivron vert

1 poivron jaune

sel et poivre

matériel

1 paire de ciseaux

2 bols

1 couteau

1 planche à découper

Cure-dents

1 cuillère

Lait fermenté à la ciboulette

1   Ciselez la ciboulette et ajoutez-la au lait fermenté dans un bol. Salez puis poivrez. Versez dans un autre bol et mettez au frais.

Brochettes de crudités

1   Lavez puis coupez tous les légumes en petits morceaux. Enfilez sur des cure-dents en jouant sur les couleurs.

2   Servez avec le lait fermenté à la ciboulette.

Je retrouve dans mon buffet

Des torchons de cuisine de toutes sortes, des pinces à linge et des rubans.
Des corbeilles et des paniers.
Ma dînette d'enfant.
Si vous êtes un garçon, empruntez celle de votre sœur ou de votre maman, je suis sûre qu'elle l'a gardée précieusement.

Brochettes de poulet grillé et sauce veloutée à l'orange

Tous les enfants aiment le poulet et, sur des brochettes, ils adorent. Surprenez-les avec cette petite sauce veloutée à l'orange. Mieux que le ketchup !

1. Enlevez tout le gras du poulet et coupez les blancs en petits morceaux.
2. Coupez le demi-poivron vert en morceaux.
3. Faites chauffer l'huile dans la poêle et ajoutez les blancs de poulet et le poivron vert. Laissez cuire et griller pendant quelques minutes en les retournant.
4. Enfilez les morceaux de poulet sur les cure-dents en alternant de temps à autre avec 1 morceau de poivron.
5. Versez le yaourt dans le bol, ajoutez le jus d'orange, la moutarde douce et les zestes. Mélangez bien à l'aide de la cuillère et versez dans la tasse.

ingrédients

4 blancs de poulet

1/2 poivron vert

1 c. à s. d'huile d'olive

1 yaourt velouté

1 c. à s. de jus d'orange

1 c. à s. de moutarde douce

1 c. à s. de zestes d'orange

sel et poivre

matériel

1 couteau

1 planche

1 poêle

cure-dents
ou piques à brochettes

1 bol

1 cuillère

1 tasse

C'est moi le chef

À la place du jus et des zestes d'orange, je parfume ma sauce au curry, au paprika ou au citron vert.

65

Blinis aux deux fromages

L'incontournable hamburger des enfants revu et corrigé version
blinis. Qui a dit que les mamans n'aimaient pas ça ?

ingrédients

500 g de blinis

250 g de gouda
en tranches

250 g de fromage frais

4 c. à s. de ketchup

3 branches de persil plat

matériel

1 grille-pain

1 couteau

1 assiette

1 cuillère

1 Faites légèrement griller les blinis dans le grille-pain.
2 Coupez les tranches de gouda en 4 morceaux.
3 Tartinez 1 blini de fromage frais, ajoutez 1 tranche de gouda, du fromage frais et 1 autre blini. On obtient une petite superposition qui ressemble à un hamburger.
4 Ajoutez 1 touche de ketchup sur le dessus du blini et 1 feuille de persil plat. Recommencez l'opération et comptez 1 portion par enfant.

C'est moi le chef

Je remplace le fromage frais par du chèvre frais.

66

Mignardises

À vous, les mamans, de vous amuser. Sortez tous vos restes,
chocolat, déco, fruits... et imaginez un petit monde de mignardises
à déguster.

1 Préparez les fruits, lavez les fraises et les raisins. Épluchez la banane
   et coupez-la en rondelles.
2 Coupez le chocolat et le beurre en morceaux, et laissez fondre doucement
   dans la casserole. Hors du feu, ajoutez la crème fraîche, le sucre et le
   jaune d'œuf en remuant.
3 Trempez les fruits dans le chocolat et décorez avec ce que vous avez.
   Faites des brochettes.
4 Remplissez les vol-au-vent de crème au chocolat et de crème dessert.

ingrédients

250 g de fraises

1 grappe de raisin

3 bananes

1 plaque de chocolat

30 g de beurre

3 c. à s. de crème fraîche

1 c. à s. de sucre en poudre

1 jaune d'œuf

Déco :
fleurs en sucre, paillettes,
confettis, boules argentées,
parapluies...

1 paquet
de mini-vol-au-vent

crèmes desserts :
caramel, pistache, vanille

matériel

1 couteau

1 casserole

1 cuillère

ingrédients

500 g de chouquettes

1 crème dessert au chocolat

1 crème dessert à la vanille

1 crème dessert à la pistache

matériel

1 couteau

1 cuillère à café

Chouquettes à la crème dessert

La crème dessert, c'est LE dessert de toute maman qui se respecte. C'est facile, on en trouve partout et à tous les parfums, même au café pour nous. Vous reprendrez bien une petite chouquette !

1. Ouvrez les chouquettes en deux, mais n'enlevez pas complètement la partie supérieure.
2. Remplissez de crème dessert et refermez.
3. Mélangez les chouquettes afin de laisser les enfants découvrir le parfum de leur crème dessert.

C'est moi le chef

Je remplace les crèmes dessert par de la compote de fruits ou de la confiture.

buffet
des voisins

Rillettes de sardines

ingrédients

1 citron

300 g de sardines à l'huile

6 petits-suisses à 40 %

1 c. à s. de crème fraîche

1 botte de ciboulette

sel et poivre

matériel

1 couteau

1 presse-agrumes

1 bol

1 fourchette

1 paire de ciseaux

Recette de Gégé (célibataire, enfin c'est ce qu'il nous dit), deuxième étage droite. Gégé, c'est le voisin idéal, toujours souriant, prêt à porter vos courses, à vous parler de la pluie et du beau temps, et à vous tenir un peu compagnie dans l'escalier quand vous êtes archipressée… Gégé est aussi un peu bordélique, mais cela je vous le laisse constater.

1 Pressez le jus du citron et versez dans le bol. Ajoutez les sardines, les petits-suisses et la crème fraîche.
2 Écrasez avec la fourchette.
3 Ciselez la ciboulette et ajoutez-la. Mélangez bien le tout.
4 Tassez dans le bol et laissez au frais pendant 24 h.

Le petit truc de Gégé

Achetez des sardines sans arêtes, ça évite les mauvaises surprises. Entre les dents, l'arête, c'est pas très glamour !

Tarte aux tomates et à la moutarde à l'ancienne

Recette de Martine, la voisine du cinquième droite.
Dès que l'on s'approche du cinquième étage, ça sent les herbes de Provence. Mais oui, c'est l'étage de Martine. On ne peut pas la rater, il y a des fleurs et des pots d'herbes aromatiques partout devant sa porte. Il paraît qu'avant elle vivait en communauté...

1 Déroulez la pâte feuilletée dans le moule à tarte. Préchauffez le four à 180 °C.
2 Étalez la moutarde à l'ancienne sur la pâte à l'aide de la cuillère à soupe. Coupez les tomates en rondelles.
3 Parsemez de comté râpé et déposez les rondelles de tomate les unes à côté des autres. Ajoutez les herbes de Provence et poivrez.
4 Faites cuire pendant 30 minutes.

ingrédients

1 pâte feuilletée

2 c. à s. de moutarde à l'ancienne

1 kg de tomates

150 g de comté râpé

2 c. à s. d'herbes de Provence

poivre

matériel

1 moule à tarte

1 cuillère à soupe

1 couteau à dents

1 planche à découper

Les petits trucs de Martine

Ne salez pas, le fromage étant déjà bien salé, cela devrait suffire.
Si ce n'est pas la saison des tomates, mélangez une boîte de tomates pelées à des tomates fraîches.
Essayez l'origan à la place des herbes de Provence.

ingrédients

150 g de beurre

100 g de gouda

120 g de farine

125 g de riz soufflé

2 c. à s. de graines
de cumin

1 tour de moulin à poivre

matériel

1 râpe

1 saladier

1 cuillère en bois

1 plaque à four

Papier sulfurisé

1 grille

caissettes en papier

*Recette de Prune et Gaspard, jeunes mariés du premier étage.
Ça « cric » et ça croque avec Prune et Gaspard, de sacrés fêtards.
C'est toujours sympa de rencontrer ses voisins qui font la fête
jusqu'à 4 heures du matin !*

1 Sortez le beurre 2 h avant de commencer. Il faut qu'il soit bien mou.
Préchauffez le four à 160 °C.

2 Râpez le gouda en utilisant la grille de taille moyenne et mettez-le
dans le saladier.

3 Ajoutez ensuite tous les autres ingrédients et mélangez le tout.

4 Prenez un peu de mélange et faites des petites truffes que vous
déposerez sur la plaque du four garnie de papier sulfurisé. Faites cuire
pendant 15 min.

5 Laissez refroidir sur la grille puis mettez dans des petites caissettes.

Le petit truc de Gaspard

*Utilisez d'autres sortes de fromages et d'épices : comté et curry, gruyère et paprika....
Achetez des caissettes en papier couleur « disco ».*

À nous, les voisins !

Gâteau aux pommes

Recette de M. et Mme. V. et leurs quatre enfants, quatrième étage face.
Un gâteau aux pommes fait dans les règles de l'art. Il paraît que
Mme V. tient cette recette de son arrière-arrière-grand-tante, Mme P.
M. et Mme V. sont très à cheval sur les traditions.

1 Sortez le beurre et les œufs du réfrigérateur 2 h à l'avance pour qu'ils soient à température ambiante. Préchauffez le four à 180 °C.
2 Mettez le beurre amolli, le sucre et les œufs dans le saladier puis mélangez vivement. Ajoutez la farine.
3 Pelez puis coupez les pommes en quartiers. Ajoutez le jus de citron pour éviter qu'ils ne brunissent.
4 Coulez la pâte dans le moule et déposez-y les pommes en couronne. Faites cuire pendant 50 min. Laissez refroidir sur la grille.

ingrédients

125 g de beurre

3 œufs

100 g de sucre roux

200 g de farine
avec levure

500 g de pommes

1 citron

matériel

1 saladier

1 cuillère en bois

1 couteau

1 presse-agrumes

1 moule

1 grille

Trucs de Mme V.

Parsemez le gâteau d'amandes grillées.
Servez avec le gâteau de la gelée de coing.
N'hésitez pas à écrire un petit message sur du papier azyme, cela fait toujours plaisir.

ingrédients

60 g de beurre

60 g de sucre en poudre

1 œuf

1 sachet de sucre vanillé

90 g de farine avec levure

glaçage

120 g de sucre glace

colorant

billes de couleur

matériel

1 bol

1 spatule en bois

1 cuillère à café

1 paquet de caissettes
en papier

1 casserole

Petits-fours

*Recette de Mlle S., troisième étage,
qui vient tout juste d'emménager.
À croire qu'elle n'a rien d'autre à faire…
Au moins, on sait qu'elle a un four !*

1 Travaillez le beurre et le sucre dans le bol puis ajoutez l'œuf. Préchauffez le four à 160 °C.

2 Mélangez et ajoutez la vanille puis la farine avec levure incorporée. Versez 1 c. à c. de cette pâte dans les petites caissettes. Faites cuire pendant 10 min.

3 Pendant ce temps, préparez le glaçage. Mettez le sucre glace dans la casserole avec 1 c. à s. d'eau chaude. Chauffez doucement, le mélange doit être tiède, on peut ajouter à ce moment quelques gouttes de colorant. Remuez et, dès que le glaçage nappe la cuillère en couche brillante, c'est prêt.

Trucs de Mlle S.

*Un glaçage au citron, fait de jus de citron et de sucre glace.
Ajoutez des épices dans la pâte: cannelle, réglisse, fenouil…*

buffet
sur plateaux

À la russe au temps du tsar

À déguster lovée dans une couverture en zibeline
et béate d'admiration devant les danseurs du Bolchoï.

01 > ingrédients

250 g de harengs fumés

250 g de rattes

3 c. à s. de gros sel

25 cl de crème épaisse

matériel

1 couteau

1 plat à four

cure-dents

02 > ingrédients

1 paquet de blinis

15 cl de crème épaisse

1 pot d'œufs de saumon

1 pot d'œufs de lump

matériel

1 grille-pain

1 cuillère à café

03 > ingrédients

250 g de framboises

50 cl de vodka nature

sucre en poudre

matériel

verres

01 > Harengs fumés roulés sur pommes de terre

1 Sortez les harengs fumés du paquet et coupez-les en petites lanières. Préchauffez le four à 180 °C. Faites cuire les rattes sur du gros sel au four pendant 20 min.

2 Entourez les rattes refroidies de hareng fumé et piquez-les avec des cure-dents. Trempez, si vous aimez, dans de la crème épaisse.

02 > Blinis aux œufs de lump et de saumon

1 Ouvrez le paquet de blinis et réchauffez-les dans le grille-pain.

2 Tartinez les blinis de crème épaisse puis d'œufs de saumon et de lump.

03 > Soupe de vodka

1 Mettez les framboises dans des verres et recouvrez-les de vodka. Ajoutez 1 c. à c. de sucre. Mettez au réfrigérateur et servez bien frais.

Sous la tente dans le désert

Et non pas sur un chameau, s'il vous plaît !

01 > Salade d'oranges à l'ail et à la coriandre

1. Épluchez les oranges et enlevez toute la peau blanche.
2. Coupez les oranges en rondelles très fines et déposez sur l'assiette.
3. Coupez l'ail en petits morceaux et ciselez la coriandre. Parsemez les oranges de ce mélange puis poivrez et ajoutez un filet d'huile d'olive.

02 > Brochette d'agneau

1. Lavez puis ciselez finement les herbes.
2. Mettez l'agneau, l'œuf, les pignons, les herbes, le ras al-hanout, du sel et du poivre dans le bol. Mélangez bien.
3. Formez des mini-boulettes. Faites chauffer l'huile dans la poêle et mettez-y à dorer les boulettes en les faisant rouler.

03 > Lait glacé parfumé à la fleur d'oranger

1. Versez le lait dans une jatte, ajoutez le sucre en mélangeant puis l'eau de fleur d'oranger.
2. Mettez au frais.

ingrédients < 01

2 oranges

1 gousse d'ail

brins de coriandre

Sel et poivre

1 filet d'huile d'olive

matériel

1 couteau

1 assiette

ingrédients < 02

12 feuilles de menthe

12 feuilles de coriandre

250 g d'agneau haché

1 œuf

3 c.à s. de pignons

1 petite c.à c. de ras al-hanout

2 c. à s. d'huile

sel et poivre

matériel

1 planche à découper

1 bol

1 poêle

ingrédients < 03

50 cl de lait

1 c. à s. de sucre

1 c. à c. d'eau de fleur d'oranger

matériel

1 jatte

1 cuillère à soupe

Comme à Venise

Il ne vous reste plus qu'à trouver un beau gondolier...

01 > Gondole de mozzarella

1 Mettez les boules de mozzarella et les tomates dans un petit bol.
Ciselez le basilic et ajoutez-le dans le bol. Mélangez et poivrez puis
ajoutez un filet d'huile d'olive.

02 > Salade de poulpes du Lido

1 Mettez la roquette et les poulpes dans le saladier.
2 Faites une vinaigrette avec l'huile d'olive et le vinaigre balsamique.
Salez, poivrez et ajoutez sur la roquette. Mélangez avant de servir.

03 > Panna cotta de Murano

1 Faites ramollir les feuilles de gélatine dans de l'eau froide. Portez à
ébullition la crème et le sucre.
2 Ajoutez la gélatine et fouettez vivement. Remplissez les verres et
laissez-les au frais pendant 3 h au minimum. Décorez de fruits
rouges.

Mézès à la folie

Faire trempette dans tous ces délices,
c'est le début d'un voyage au Proche-Orient.
Accompagnez de pain libanais et de légumes croquants.

01 > Hoummos au sésame

1   Ouvrez la boîte de pois chiches et versez les pois dans le bol du mixeur. Ajoutez la moitié de l'eau des pois chiches et les gousses d'ail épluchées. Mixez et ajoutez l'huile de sésame petit à petit. Goûtez puis salez selon votre goût.

02 > Caviar d'aubergine

1   Préchauffez le four à 140 °C. Lavez les aubergines et piquez-les avec la fourchette. Emballez-les de papier d'aluminium et faites-les cuire au four pendant 1 bonne heure.
2   Coupez les aubergines en deux et retirez la chair à l'aide de la cuillère. Mettez dans le bol. Coupez l'ail en fins morceaux et ajoutez-le dans le bol. Salez, poivrez et versez l'huile d'olive.

03 > Fromage blanc au miel parsemé de halva

1   Mettez le fromage blanc dans quatre bols. Versez 2 c. à s. de miel.
2   Saupoudrez les préparations de halva, écrasé séparement à la fourchette.

01 > ingrédients

1 boîte de pois chiches (250 g)

2 gousses d'ail

4 c. à s. d'huile de sésame

sel

matériel

1 mixeur

1 couteau

02 > ingrédients

2 aubergines

2 gousses d'ail

3 c. à s. d'huile d'olive vierge

sel et poivre

matériel

2 feuilles
de papier d'aluminium

1 fourchette

1 cuillère

1 bol

03 > ingrédients

250 g de fromage blanc crémeux

8 c. à s de miel liquide,
du mont Liban de préférence

100 g de halva

matériel

1 cuillère à soupe

1 bol

1 fourchette

Buffet du grand froid

N'oubliez pas un grand pot de crème fraîche épaisse,
des toasts légèrement grillés et toutes sortes de crackers,
du pain suédois, des petits pains complets...

ingrédients ‹ 01

1 tranche de saumon fumé
1 filet de hareng fumé
1 tranche de truite fumée
ou d'anguille fumée
1 petit œuf
1 jus de citron + 1 citron
pour la déco et les puristes
4 c. à s. d'huile d'olive
4 brins d'aneth
1 endive
sel, poivre

matériel

2 assiette
1 bol étroit
1 mixeur

ingrédients ‹ 02

1 pomme granny
1 pomme de terre cuite
1 c. à c. de baies roses
1 c. à c. de jus
de pamplemousse
1 c. à s. d'huile d'olive
sel

matériel

1 couteau
1 assiette
1 petit bol
1 cuillère à café

ingrédients ‹ 03

1 c. à c. de café en grains
1 petit demi-verre d'eau
chaude
1 c. à s. d'alcool de votre choix
1 boule de glace à la vanille
Paillettes de chocolat

matériel

1 briquet
1 allumette

01 › Assiette de poissons fumés et mayonnaise veloutée au citron et à l'aneth

1   Disposez les poissons sur une assiette et coupez le citron en quatre. Ajoutez quelques feuilles d'endive (ou quelques feuilles de roquette) que vous laisserez nature ou garnirez de mayonnaise. Pour réussir la mayonnaise il faut que l'œuf soit à température ambiante et pour que la texture soit épaisse ajoutez selon votre goût plus ou moins d'huile d'olive.

2   Dans un bol étroit cassez l'œuf, ajoutez le citron, l'huile d'olive, l'aneth, le sel et le poivre puis mixez. Réservez au froid et sortez le plat juste avant de servir.

02 › Duo de pommes aux baies rose

1   Pelez puis coupez les pommes en rondelles fines. Déposez-les en les alternant sur une assiette ou dans un petit plat

2   Dans un petit bol, versez l'huile et le jus de pamplemousse, salez puis mélangez rapidement avec la cuillère à café. Versez sur les pommes et ajoutez les baies roses.

03 › Café flambé avec boule de vanille

1   Chauffez l'eau. Dans une coupe mettez le café en grains, l'eau chaude puis, l'alcool.

2   Craquez l'allumette et flambez le café. Déposez la boule de glace à la vanille et parsemez de pépites de chocolat. Dégustez sans attendre.

Remerciements

Merci à Antoine de la Ferme de Truttenhausen (GAEC) pour les bons légumes bio et les belles vaches.

Les produits ne sont malheureusement en vente que sur les marchés de Barr, Strasbourg et Obernai. Si vous allez faire un petit tour en Alsace, ne ratez pas ces adresses.

Merci à Nicolas pour la malle à pique-nique.

Merci à Hugo, Edgar, Basile, Blaise, Louise, Madeleine, Olivier et Lila pour le buffet des enfants.

Merci à Christiane d'avoir affronté sans peur les vaches et les ânes avec un gros kouglopf dans les mains.

Merci à Nathalie pour les décos de feuilles du buffet bio.

Merci à Catherine pour son escalier et sa silhouette de déesse. Et merci aussi à Isabelle d'avoir joué la voisine.

Merci à Laurence Le Crocq pour les jolies toiles colorées « Fleur de Soleil »
www.fleurdesoleil.fr

Merci à Pylône pour les pinces papillons et les serviettes rigolotes.

Merci à Véronique, Céline et Marie, des éditions Tana.

Et surtout à Mimi, dont la maison a été totalement chamboulée pendant notre séjour photo.

Merci à la Mama d'être toujours là, et sa fille Lilibelle, mon petit modèle fétiche.
Rares sont ces instants pour une photographe d'être éblouie, merci aux maîtres de maison et à Stef pour leur acceuil chaleureux, et leur enthousiasme à partager.

Conception graphique : Marina Delranc
Mise en pages : Géraldine Lepoivre
Réalisation Photogravure : Poisson rouge/Audrey Ferry
Coordination éditoriale : Marie Baumann

Diretrice de collection : Leslie Viala